UNA NOVA RELACIÓ
AMB LA NATURA I AMB LA GENT
L'experiència dels voluntaris
de Collserola

MONOGRAFIES

PSICO-SOCIO-AMBIENTALS

(5)

Monografies Psico-Socio-Ambientals
Títols publicats

1. Perfils socials en la intervenció ambiental. Una perspectiva professional.

2. Impacte ambiental del desviament del riu Llobregat en el municipi de El Prat. Aspectes socials.

3. Efectos ambientales y rechazo social de una planta de reciclaje de basuras.
   Propuestas para su minimización.

4. Barcelona Parks. Impact of environmental, architectural, urbanistic
   and social characteristics on litering and vandalism.

5. Una nova relació amb la natura i amb la gent. L'experiència dels voluntaris de Collserola.

6. Urban regeneration:a challenge for a public art.

UNA NOVA RELACIÓ
AMB LA NATURA I AMB LA GENT
L'experiència dels voluntaris
de Collserola

Teresa Franquesa
Manuel Cervera
Josep Espigulé

Premi d'Educació Ambiental
Institut d'Estudis Ilerdencs 1993

UNIVERSITAT DE BARCELONA

PUBLICACIONS

BIBLIOTECA DE LA UNIVERSITAT DE BARCELONA. Dades catalogràfiques

Franquesa i Codinach, Teresa
Una nova relació amb la natura i amb la gent. - (Monografies psico-socio-ambientals ; 5)

Apèndix
ISBN 84-475-1384-X

I. Cervera, Manuel II. Espigulé, Josep III. Títol IV. Col·lecció
1. Parc Metropolità de Collserola 2. Voluntariat 3. Educació ambiental

© PUBLICACIONS UNIVERSITAT DE BARCELONA

Monografies Psico-Socio-Ambientals
Director: Enric Pol
Coordinador: Tomeu Vidal
Composició: Xavier Gómez
Disseny gràfic: Cesca Simón
Dipòsit legal: B-12.816-96
ISBN: 84-475-1384-X

 Imprès sobre paper ecològic

Direcció i administració de la publicació
PUBLICACIONS DE LA UNIVERSITAT DE BARCELONA
Gran Via, 585
08007 Barcelona
Tel. 318 42 66
Fax 318 52 67

Màster Intervenció Ambiental. Programa organitzat per:
Departament de Psicologia Social
Divisió de Ciències de la Salut
Universitat de Barcelona

Departament de Projectes
Escola Tècnica Superior d'Arquitectura
Universitat Politècnica de Catalunya

Amb el suport de:

 Generalitat de Catalunya

* Escola d'Administració Pública
* Departament de Medi Ambient

 * Servei de Medi Ambient. Diputació de Barcelona

 Ajuntament de Barcelona

* Àmbit d'Urbanisme i Medi Ambient
* Àmbit de la Via Pública
* Barcelona Activa

 Fundación Privada CICLOPES

 Audihispana-Medio Ambiente

Centre d'Estudis de Planificació (CEP)

Aquest treball ha estat guardonat amb el Premi d'Educació Ambiental, Institut d'Estudis Ilerdencs, 1993

PRESENTACIÓ

Dins de la notable eclosió del voluntariat en el nostre país, ha anat prenent cada cop més volada el voluntariat ambiental, entès com aquell que té per objectiu l'acció adreçada a la conservació de l'entorn. Tot i que fa ben pocs anys era del tot inexistent, ara assistim a l'aparició arreu de Catalunya i de l'Estat espanyol de nombrosos col·lectius il·lusionats en aquesta tasca.

Aquesta monografia recull una experiència capdavantera de voluntariat ambiental, la que es dugué a terme en el Parc de Collserola emmarcada dins d'un programa d'educació ambiental que, al seu torn, formava part essencial del Pla de gestió del Parc. Situar l'aportació del voluntariat en unes coordenades com aquestes és encara avui un repte en molts dels espais naturals protegits del país.

Redactat pels mateixos impulsors del programa, el treball té el valor afegit de ser un testimoni de primera mà, alhora objectiu i apassionat, que va merèixer ser guardonat amb el Premi d'Educació Ambiental atorgat per l'Institut d'Estudis Ilerdencs l'abril de 1993.

Ens plau poder publicar aquest text, com a primer títol de l'ampli camp de l'educació ambiental dintre d'aquesta col·lecció. Ens plau doblement pel treball en si i pels seus autors, Teresa Franquesa, Manel Cervera i Josep Espigulé, amb una llarga i 'voluntariosa' història en el desenvolupament de l'Educació Ambiental al nostre país, tant des d'iniciatives puntuals més o menys emblemàtiques, com des de la Societat Catalana d'Educació Ambiental.

Tot els trets esmentats justifiquen de sobres que sigui publicat en aquesta col·lecció destinada a donar conèixer els treballs que analitzin i avaluïn les iniciatives socials d'intervenció ambiental.

ÍNDEX

1. Introducció..3

2. Antecedents..5
    2.1. Panoràmica internacional i nacional...5
    2.2. Punts de partida des del Parc..7
    2.3. Tot aprenent de l'experiència..8

3. Bases per al treball amb voluntaris...11
    3.1. Determinació del marc en què es treballa.................................12
    3.2. Delimitació de tasques..12
    3.3. Establiment de drets i deures...12
    3.4. Formació..12
    3.5. Planificació i organització...13
    3.6. Atenció personalitzada..13
    3.7. Compensació..13

4. Una definició per als Voluntaris de Collserola..............................15
    4.1. Objectius..15
    4.2. Perfil..16
    4.3. Drets i deures..16

5. Un any i mig d'experiència...19
    5.1. Els inicis...19
    5.2. Disponibilitat i compromís...22
    5.3. Equipament..22
    5.4. Organització...23
    5.5. Formació..24
    5.6. Vida del grup...27
    5.7. Altres camps d'acció..28

6. Avaluació..31
    6.1. L'actuació dels voluntaris, una millora objectiva
        per al Parc de Collserola..32
    6.2. El voluntari com a destinatari del programa.............................34
    Apèndix onomàstic..37

1. INTRODUCCIÓ

El treball que presentem a continuació és fruit de l'experiència de prop de dos anys de feina en la definició, creació i posada en funcionament del col.lectiu de "Voluntaris de Collserola".

Massa sovint s'entén l'educació ambiental com un procés que només afecta els escolars i, encara sempre, en el sentit d'instruir-los i inculcar-los valors des de fora. Però l'educació ambiental pot ser proposada als adults en un procés de diàleg i participació, en què tothom aporti al creixement dels altres i a la millora de l'entorn natural i social. Aquest era el punt de partida del nostre projecte. Hem tingut l'ocasió de dur-lo a terme i hem pogut constatar que pot fer-se realitat.

L'experiència que expliquem i sobre la qual reflexionem és una iniciativa exitosa, de la qual estem orgullosos i contents. Sovint, en compartir-la, se'ns ha demanat que l'escrivíssim per tal que servís de punt de referència en l'endegament d'altres projectes similars. Fatalment el dia a dia en la feina i les múltiples urgències posen fre a l'obligació d'explicar-se per fer la història útil. En aquest cas, la convocatòria d'un premi sobre educació ambiental ha estat estímul per a les corredisses que han originat, finalment, el relat d'aquesta aventura. Desitgem que pugui fer servei.

Dediquem aquest esforç al col.lectiu dels Voluntaris de Collserola, protagonistes engrescats des de bell antuvi en l'experiència i, molt aviat també, còmplices convençuts dels nostres objectius. D'ells hem obtingut la més agraïda compensació a la nostra feina: amb ells hem guanyat nous amics.

2. ANTECEDENTS

2.1. Panoràmica internacional i nacional

L'experiència dels voluntaris és arrelada i organitzada des de fa molt temps arreu d'Europa i Amèrica. En països com França, Bèlgica o Anglaterra, més d'un deu per cent de la població és voluntària i aquest moviment no se cenyeix únicament als joves i adolescents sinó que abasta un ventall ample dels ciutadans. Les tasques que realitzen, els àmbits d'actuació i les formes d'organització són molt diverses.

El voluntariat en espais naturals -protegits o no- té una tradició especialment important en el món anglosaxó. A Anglaterra i als Estats Units hi ha voluntaris a tots els espais naturals, tant als Parcs Nacionals o Estatals, públics, com a les reserves privades. En molts casos, la seva feina és essencial per a la bona marxa de la gestió de l'espai. El conjunt de tasques que els voluntaris arriben a assumir és molt gran: col.laboren en el manteniment general (arranjament de camins, senyalització, construcció de tanques i baranes, consolidació de talussos, reconstrucció de parets de pedra seca); en la prevenció d'incendis; en la gestió forestal (tasques silvícoles, vivers, plantació); en l'ampliació i la gestió de zones d'aiguamolls (arranjament de basses, obertura d'ullals i canals, construcció d'aguaits i passeres); en la protecció de dunes (pantalles de retenció, fixació amb plantes psamòfiles); en la gestió de la fauna (construcció, instal.lació i seguiment de caixes-niu, caixes-cau i menjadores, plataformes per a la nidificació, censos de poblacions de diferents espècies); en la vigilància, atenció, informació, sensibilització i animació del públic (col.laboració en els equipaments d'atenció al públic i interpretació, guiatges, participació en campanyes de sensibilització) i tot un llarg etcètera. Aquests voluntaris estan organitzats en diferents tipus d'entitats, algunes de les quals tenen professionals que, juntament amb els tècnics de la gestió dels espais considerats, dissenyen les propostes de treball que s'ofereixen periòdicament als seus membres.

En un repàs del que existeix i ha existit al nostre país, podem distingir en el voluntariat tres branques ben diferenciades:

a) El voluntariat social, que té cura de la població marginada o carencial

b) El voluntariat cultural, que promou manifestacions i accions col.lectives en aquest camp

c) El voluntariat en l'animació del temps de lleure, especialment dedicat a la infància i a la joventut en l'organització i realització d'activitats lúdiques i esportives.

L'actuació dins l'àmbit dels espais naturals, però, és una realitat relativament nova. Certament, algunes organitzacions naturalistes han nascut i crescut vinculades a campanyes de defensa d'espais naturals i l'aportació voluntària dels seus membres en les accions reivindicatives ha estat decisiva per aconseguir un estatus de protecció per a l'espai. També podem parlar de les col.laboracions puntuals o esporàdiques de molts joves que participen en camps de treball d'estiu organitzats per la Direcció General de Joventut de la Generalitat conjuntament amb alguns Parcs, i d'altres aportacions concretes de grups i entitats diverses (agrupaments escoltes, centres excursionistes, esplais, Creu Roja de la joventut, etc.). Més específic i continuat és el treball que desenvolupen les unitats de Voluntaris Forestals, creades a partir del juny de 1988 dins el programa Foc Verd del Departament d'Agricultura, Ramaderia i Pesca de la Generalitat. Actuen en tot el territori de Catalunya en tasques d'ajut a la prevenció d'incendis i en la conservació del patrimoni natural, en col.laboració amb el cos d'Agents Rurals de la Generalitat.

Directament vinculades als espais naturals protegits les úniques experiències de treball voluntari organitzat que coneixem a l'Estat espanyol són les dels Parcs de la Zona Volcànica de la Garrotxa i dels Aiguamolls de l'Empordà que, en les etapes inicials en què no disposaven de guarderia, impulsaren grups formals de voluntaris amb tasques exclusivament de vigilància sota la figura dels anomenats "Vigilants Honoraris".

2.2. Punts de partida des del Parc

Collserola és un privilegiat espai natural d'unes 8.000 hectàrees de superfície -un 63% de les quals són bosc, prop d'un 30% matolls i prats, i la resta conreus- situat al cor de la densíssima i superpoblada àrea metropolitana de Barcelona, on resideix més de la meitat de la població de Catalunya (3,5 milions de persones).

És un espai ric en patrimoni natural i cultural, relativament ben conservat, que a més de les seves funcions essencials de manteniment dels processos ecològics i de preservació de la diversitat biològica, pot jugar un paper indiscutible com a reequilibrador del territori i com a oferta social d'un espai públic on gaudir dels beneficis del contacte amb la natura.

Tanmateix, l'aprofitament d'aquest magnífic potencial d'ús comporta el repte de la convivència entre freqüentació i conservació. Es tracta de garantir que l'ús no malmeti el recurs, i això -ultra planificació i regulació- exigeix sobretot una educació ciutadana, els principals paràmetres de la qual seran la millora del coneixement del Parc i l'augment de la consciència cívica envers la seva conservació.

El pla d'Educació Ambiental i Divulgació del Parc de Collserola és planteja justament aquests objectius. Globalment es tracta d'optimitzar la relació entre el Parc i l'usuari, de manera que totes dues parts en treguin el màxim profit. Naturalment, per a cada tipus d'usuari cal definir els objectius precisos i trobar les ocasions propícies.

Les primeres etapes en el desenvolupament del pla havien estat dotar-se dels equipaments mínims necessaris. Pel que fa al públic vinculat a l'educació formal, s'havien posat en funcionament dos centres (Can Coll i Mas Pins) destinats a atendre estudiants i docents, des dels nivells pre-escolars fins als universitaris. Per assegurar l'atenció

Centre d'informació del Parc. Font: Petita Guia del Parc.

educativa al públic general, gran oblidat a la majoria d'espais naturals del nostre país, s'havia creat el Centre d'Informació, obert cada dia amb les funcions d'acollir, atendre i informar i d'oferir programes basats en el gaudi de la natura en un context informal i recreatiu per tal d'estimular el coneixement del Parc i la conscienciació sobre la seva conservació: aquests programes es concreten en les exposicions temporals, amb les activitats que porten associades (conferències, tallers, sortides), les campanyes d'observació de rapinyaires i de col.locació de caixes-niu (que ja han arribat a la 5ena. edició), els itineraris guiats, el Collserola-tour, les nits d'astronomia, els cursets, els camps de treball, etc. El mateix sentit havia tingut la preocupació per una senyalització adequada i rigorosa, per un transport públic idoni o per la publicació de materials que ajudin els ciutadans a entendre el Parc i a aproximar-s'hi correctament. L'edició del Butlletí del Parc, principal instrument de comunicació periòdica amb el ciutadà, havia possibilitat el contacte continuat amb milers de persones.

Un cop assolides aquestes primeres fites teniem clar, però, que calia promoure i canalitzar una més intensa participació dels ciutadans en el Parc. La potenciació de l'activitat solidària havia estat un objectiu clar des del primer moment i, d'altra banda, a mesura que s'avançava en la gestió es feien més evidents els múltiples requeriments que el Parc té i que dificilment es poden resoldre sense col.laboració ciutadana. Havia arribat l'hora de començar-hi a treballar.

2.3. Tot aprenent de l'experiència

El Dia de Collserola, una celebració anual que aplega milers de visitants al Parc i que genera, doncs, una necessitat de persones per a atendre'ls, va fornir les primeres ocasions per a la col.laboració de voluntaris. Els que participaren en els dies de Collserola de 1988, 89 i 90 provenien majoritàriament d'associacions de veïns o d'entitats amb voluntariat propi (Creu Roja, Voluntaris forestals, Voluntaris olímpics, Gent de Pau, Protecció civil i Movibaix) les quals posaren a la disposició del Parc el gruix de persones que els fou possible.

Paral.lelament, les campanyes d'instal.lació i seguiment de caixes-niu i menjadores, iniciades l'hivern de 1988, ens havien proporcionat una altra interessant, malgrat que també puntual, experiència de treball amb voluntaris.

D'aquestes col.laboracions eventuals, que ens permetien avaluar virtuts i pegues, se'n tragueren diverses conseqüències: es comprovà com n'és de profitosa i eficaç l'aportació dels voluntaris; es valorà la conveniència d'organitzar-la de manera més permanent; es constatà que hi ha molta gent amb ganes i il.lusió per treballar en el Parc i, potser com a més important de totes, s'arribà al convenciment que calia un voluntariat propi i amb implicació personal i continuada. En efecte, davant les deficiències del treball amb col.lectius de voluntaris adolescents, es percep com a cosa ineludible que el compromís ha de ser una decisió a nivell personal, decidida lliurement des d'una certa maduresa i per un període de temps determinat; també es veu clar que, per obtenir una motivació prou potent, el Parc ha de ser el marc de referència d'aquest voluntari com a tal.

Una reflexió conjunta amb els responsables dels grups de voluntaris amb qui havíem treballat va posar de manifest d'altres aspectes concrets: la necessitat d'una formació; la freqüència del compromís, que és bo de situar al voltant d'un dia al mes; i l'assumpció per part del Parc d'un seguit de despeses de funcionament (dietes, desplaçaments, assegurança) ja que als voluntaris no els ha de costar diners prestar els serveis. Finalment, la pròpia prudència ens va fer veure la conveniència d'una planificació ben feta i que avancés pas a pas.

Simultàniament a tot aquest procés, dia rere dia creixia l'oferta espontània de persones que passaven pel parc a preguntar "què es pot fer". Suscitar els primers "Voluntaris de Collserola" era el proper pas.

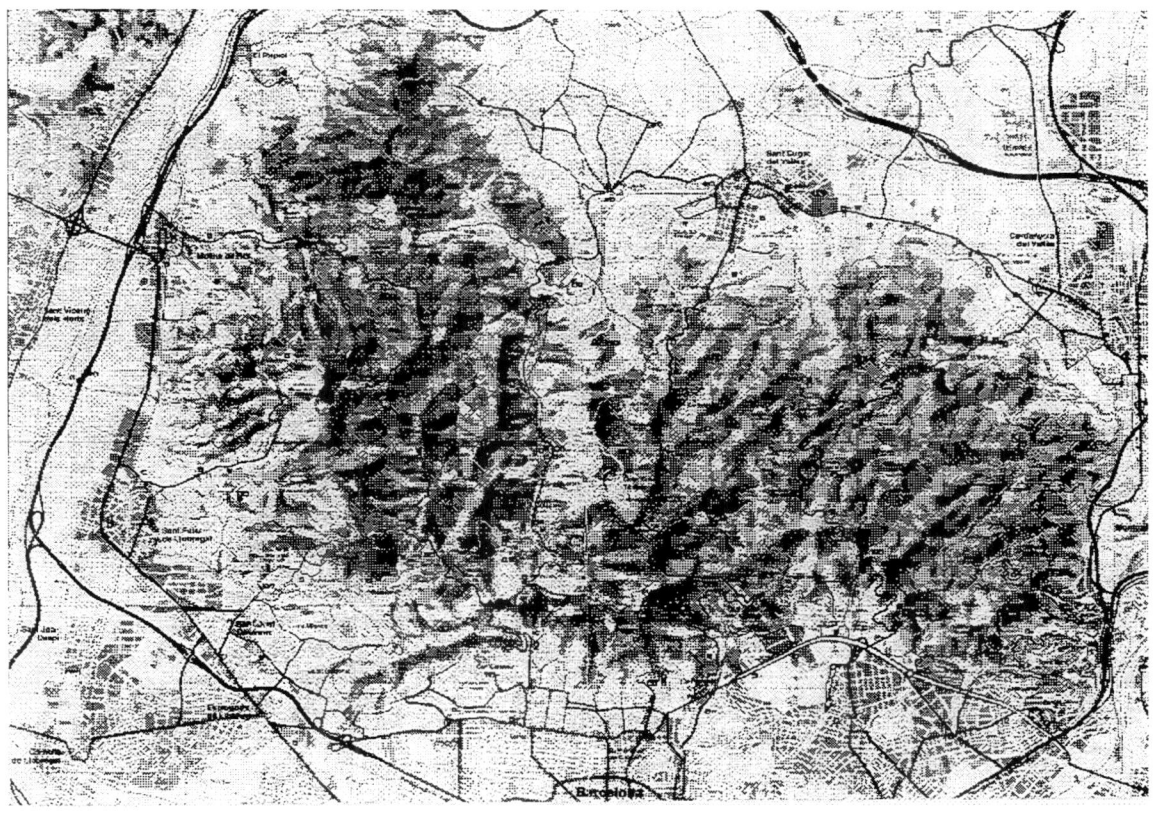

Mapa de Collserola.Font: Petita Guia del Parc.

3. BASES PER AL TREBALL AMB VOLUNTARIS

Sabíem que amb voluntaris no es pot treballar de qualsevol manera: es posa en joc una oferta molt generosa, que espera i mereix trobar respecte i reconeixement. Davant de persones disposades a entregar graciosament una part del seu temps i de les seves capacitats, cal una resposta seriosa i amatent. Cal correspondre al seu oferiment entusiasta amb acceptació agraïda; al seu compromís de treball amb el rigor d'organitzar-lo correctament; a les seves inquietuds amb atenció i interès.

D'altra banda, sovint els futurs voluntaris tenen l'expectativa de conèixer gent i poder-se relacionar amb persones que comparteixin els seus mateixos gustos, aficions i preocupacions. Amb una barreja de temor i il.lusió, volen fer part d'un col.lectiu amistós que els proporcioni ocasions d'una relació social diferent. Per això també cal fer els possibles per crear àmbits i ocasions que facilitin el contacte i la coneixença.

En conclusió, els voluntaris arriben amb el cor a la mà i de cap manera se'ls pot respondre amb indiferència o deixadesa. Fer-ho equival a cometre un error com una casa, ja que el desdeny pot fer tornar tota la bona disposició en hostilitat.

Amb aquest punt de partida vàrem encetar una reflexió que ens conduís a establir quines eren les premisses bàsiques, els "dogmes", que regirien la relació del Parc amb els voluntaris i l'organització del col.lectiu. Els exposem a continuació:

3.1. Determinació del marc en què es treballa

El voluntari ha de sentir-se inserit en un projecte global. En aquest cas ha de conèixer els objectius del Parc, els plans de gestió que desenvolupa, els pressupostos amb què compta i l'estructura organitzativa que es dota per treballar. Tot això li permet emmarcar la feina que ell ofereix i donar-li sentit. D'altra banda, reforça la seva motivació, ja que concreta les finalitats altruistes genèriques amb què ell s'ha apropat al Parc a priori.

3.2. Delimitació de tasques

El voluntari, en aquest cas com qualsevol treballador, necessita i té dret a saber amb precisió quines són les tasques que ha de desenvolupar, en què consisteixen exactament i on comença i on acaba la seva responsabilitat. És bo que els voluntaris siguin consultats sobre les seves preferències a l'hora de distribuir tasques i que se'ls doni dret a refusar feines concretes per les quals no se senten gens atrets. Amb bona voluntat, dins d'un col.lectiu ampli es poden acomodar les tasques als desigs i els desigs a les tasques

3.3. Establiment de drets i deures

Cal que els voluntaris coneguin bé quines són les condicions del seu compromís: a què els obliga i a què els dóna dret. Aquests drets i deures s'han de definir a partir d'una reflexió realista sobre què s'està en condicions d'exigir i d'oferir. En qualsevol cas sembla que hi ha uns drets bàsics a respectar o, si es vol, unes obligacions per part de l'organització, com és ara: seguretat en el treball, acreditació enfront de tercers, formació, no interferència en la vida privada, i garantia que la dedicació no costi diners al voluntari.

3.4. Formació

Per poder desenvolupar les tasques que se'ls encomana, els voluntaris necessiten saber-les fer. Primer per raons òbvies i segon perquè millor serà l'oferta que el Parc realitza a través dels voluntaris com més competents siguin. D'altra banda, i enllà de l'aprenentage de la tasca estricta que cal fer, el voluntariat proporciona una ocasió d'adquisició de coneixements que millora la qualitat de la feina i suposa un enriquiment del bagatge personal. Finalment, i en un altre ordre de coses, bona part de la compensació que els voluntaris extrauran de la seva dedicació serà l'autosatisfacció i el reconeixement dels altres per haver fet la feina ben feta. Per tant, la formació és condició indispensable des de tots els punts de vista, i es pot entendre alhora com a deure (el deure de fer bé la feina) i com a dret (el dret a saber més i al goig que això proporciona).

3.5 Planificació i organització

Per aconseguir resultats positius en qualsevol tasca que s'emprengui es requereix una planificació correcta i una organització acurada. Oimés quan es tracta d'engegar un projecte complex, nou, i que reuneix un col.lectiu de persones sense experiència i desconegudes entre elles. En aquest cas vàrem considerar imprescindible disposar d'una persona especialment delegada, que s'ocupés de manera exclusiva de vetllar rigorosament per l'acompliment del pla i de fer front a totes les incidències que sorgissin. També vàrem considerar útil establir una supervisió general del desenvolupament del programa. L'objectiu era assegurar una experiència de col.laboració eficaç i gratificant alhora.

3.6. Atenció personalitzada

Vàrem valorar que el plantejament de les relacions personals entre els voluntaris i les persones que representàvem el Parc podia ser la clau de l'èxit o el fracàs del programa. Per això vàrem donar prioritat absoluta al fet que els voluntaris es sentissin escoltats i atesos amb interès individualitzat, i vàrem proposar-nos ser especialment sensibles i receptius al seguiment de les persones. Aquesta actitud de respecte ens va conduir també a oferir sempre una formació, uns materials i unes activitats de la màxima qualitat possible dins del que estava al nostre abast.

3.7. Compensació

Malgrat que alguns anuncis defineixen el voluntari com aquell qui és capaç de fer quelcom a canvi de res, nosaltres no compartim l'opinió. Estem convençuts que els voluntaris no sols busquen, sinó que mereixen, compensacions de diferents menes.

Les immediates deriven de la satisfacció de sentir-se útil, del creixement personal i de l'enriquiment en experiència, però també poden haver-hi compensacions relacionades amb un reconeixement de gratitud per la seva contribució, tant moral com material, o amb les oportunitats de viure situacions recreatives i festives i d'establir relacions socials. Per això ens vàrem proposar literalment "mimar" els voluntaris amb un tracte preferent que s'ha concretat en molt diverses formes, des de l'obsequi de materials (dossiers, xandall, samarretes, fitxes, publicacions, calendaris, etc) i bonificacions en les activitats i les adquisicions a la botiga del Parc, fins a l'organització de revetlles, festes, sortides o arrossades, passant per una constant actitud d'atenció reconeguda en tota ocasió de relació. En particular, aquesta actitud ha comportat la difusió de la seva tasca arreu mitjançant el Butlletí, la memòria de gestió, mitjans de comunicació i conferències, i la incorporació dels seus propis articles i col.laboracions a les publicacions del Parc.

4. UNA DEFINICIÓ PER ALS VOLUNTARIS DE COLLSEROLA

"Ser voluntari de Collserola: una nova relació amb la natura i amb la gent". Aquesta doble formulació ideològica va ser el lema amb què el Parc convidà a la participació de voluntaris. Si als escolars se'ls brinden situacions d'aprenentatge, la proposta dirigida als adults es mou entorn de premisses diferents. Sense menystenir la necessària i continuada formació al llarg de tota la vida, es tracta de suscitar l'aportació i la participació solidària per a la millora de la comunitat, sobretot en tasques o serveis en els quals les característiques del treball voluntari (entusiasme, estima, lligam vital) es fan imprescindibles. Aquesta integració dels ciutadans en la gestió del Parc, repercutirà directament en la millora de l'espai i afavorirà l'establiment d'un clima de cooperació positiva entre les persones.

La filosofia que havia anat emanant i les línies generals a seguir en el desenvolupament del projecte varen ser explicitades en els objectius, en el perfil del Voluntari de Collserola i en els drets i deures que tot seguit presentem.

4.1. Objectius

4.1.1. Generals

-Vetllar per la conservació del patrimoni natural i cultural heretat per deixar-lo en les millors condicions possibles a les generacions futures; estendre a tots els ciutadans la responsabilitat de fer-ho.

-Donar a conèixer la singularitat de Collserola i el valor del seu patrimoni; suscitar l'interès i la participació dels ciutadans en la seva conservació; fomentar actituds que permetin gaudir més i millor del Parc i de la natura en general.

4.1.2. Específics

-Participar en accions encaminades a millorar l'estat general del Parc (neteja, recollida de deixalles, senyalització, etc.)

-Col.laborar en les campanyes d'estudi, protecció i recuperació de la flora i fauna de la serra (manteniment de vivers, instal.lació i control de caixes-niu, etc.) i del seu patrimoni històrico-artístic (treballs de rehabilitació, acondiciament de fonts, etc.)

-Acollir i informar els visitants i suggerir-los maneres idònies de gaudir del Parc i de fer ús dels seus serveis (Centres d'Informació i d'Educació Ambiental, Bus del Parc, itineraris i altres).

-Promoure entre els ciutadans activitats participatives i de col.laboració amb el Parc a través del voluntariat, de suport econòmic, jornades, Dia de Collserola, etc.

4.2. Perfil

Una persona optimista i solidària, vitalment vinculada a la serra, interessada en els seus valors i conscient dels problemes globals del medi ambient i de la societat. Un ciutadà responsable i disposat a participar, juntament amb altres companys i sense escatimar esforços de formació, en tasques de conservació i gestió de la natura del Parc o del seu patrimoni cultural, i també en els programes d'educació ambiental dirigits a millorar els comportaments dels usuaris al Parc i a fomentar una nova manera de relacionar-se amb la natura i amb la gent. Aquest perfil, amb l'afegitó de tenir més de setze anys, és, a grans trets, el que correspon al Voluntari de Collserola.

4.3. Drets i deures

4.3.1. Drets

-A una definició clara de la funció que haurà d'exercir i de l'àrea de responsabilitat assignada

-A una formació adient que el capaciti per a les tasques que haurà de realitzar

-A una acreditació enfront de tercers

-A la no interferència en les seves obligacions al marge del voluntariat

-A no tenir despeses econòmiques per raó de la seva dedicació com a voluntari

-A una assegurança en cas d'accidents i de possibles responsabilitats legals

-A gaudir de bonificacions (del 25 al 100%) en tots els materials, publicacions i activitats del Parc

-A rebre gratuïtament el Butlletí i el Full Naturalístic

-A formar part del Club de Voluntaris del Parc de Collserola

4.3.2. Deures

-Complir els compromisos adquirits i les tasques encomanades

* amb plena responsabilitat en el desenvolupament de les feines

* amb una actitud amable, cordial i persuassiva, ja que el voluntari és la imatge humana del Parc

* amb una especial puntualitat en les tasques de relació amb el públic que segueixin un horari precís

* amb el compliment de les normes de funcionament dels voluntaris de Collserola

-Assistir a les jornades i activitats de formació

-Portar de forma visible la credencial mentre es fan serveis al Parc

5. UN ANY I MIG D'EXPERIÈNCIA

5.1. Els inicis

Amb les idees suficientment clares, era el moment de posar fil a l'agulla. La feina a fer era molta i el nombre potencial de voluntaris, tan elevat com vulguéssim; però no convenia començar la casa per la teulada.

Per això varem plantejar un programa pilot, amb un primer grup relativament reduït de persones (60) més grans de 16 anys, que ens permetés guanyar experiència i expertesa. Vàrem esforçar-nos a escriure les quatre idees bàsiques en forma de Pla, i tirar-les endavant amb decisió. Sabíem que sorgirien moltes qüestions que encara no teníem resoltes, però vàrem acceptar que aniríem buscant solucions sobre la marxa, amb l'única premissa de no incórrer en contradiccions: ajornaríem les respostes que no tinguéssim clares i només donaríem informacions i indicacions perfectament assumides.

Un aspecte molt important va ser la tria de quines eren les tasques més convenients per començar. Volíem que fossin simples (ja hi hauria temps d'anar-les complicant!) i fàcils d'aprendre, de manera que amb una formació inicial relativament curta, poguessin ser desenvolupades per qualsevol dels voluntaris, als qui calia suposar una cultura bàsica. També era important des de tots els punts de vista que fossin tasques ben conegudes per nosaltres mateixos, ja que això facilitaria la formació, l'organització i la supervisió. Finalment, era convenient que no comportessin excessius requeriments en materials, equipaments o mesures

Cronologia

Fase prèvia (febrer-maig 91)

-Incorporació a l'equip d'educació ambiental del Parc d'una persona que tindrà com a tasca fonamental tot el tema del voluntariat.

-Recerca d'informació, contactes, assistència a sessions, etc, a fi d'obtenir una documentació i un coneixement sobre el tema tan complets com sigui possible.

-Posada a punt del Pla de Voluntariat del Collserola i del calendari d'execució.

-Previsió de materials i confecció del pressupost.

-Disseny i realització dels aspectes pràctics necessaris per a la posada en funcionament.

Fase de convocatòria (juny-agost 91)

-El Butlletí del Parc del desembre de 1990 havia ja anunciat la intenció de crear un voluntariat de Collserola. El juny de 1991 s'envia als subscriptors personals del Butlletí (uns 3.500 aleshores) una butlleta que explica a grans trets el projecte de voluntariat i anima a la inscripció.

-Se celebra, dues vegades i en dies i hores diferents per facilitar l'assistència, una sessió informativa per donar a conèixer el Pla de Voluntariat. Registren una assistència nombrosa.

-Es reben prop d'un centenar de butlletes.

-Es fan entrevistes personals amb tots els qui s'han ofert. Al final, en resulta el primer grup de 60 persones.

Fase de formació i compromís (setembre-octubre 91)

-La fase de formació consisteix en tres sessions, una de més conceptual, que dura tot el dia (14.9.91), i dues de més pràctiques de mitja jornada (28.9.91 i 6.10.91)

-El 14 de setembre té lloc la signatura del compromís per una any: amb això, els voluntaris adquireixen els seus drets i s'obliguen als seus deures.

Primera fase de servei (octubre 91-gener 92)

-Els voluntaris s'estrenen el Dia de Collserola, 20 d'octubre de 1991, dia en què també s'inaugura el servei d'autobús. Aquest és un dia especial ja que tots els voluntaris hi prenen part, ja sigui en els autobusos, ja sigui en d'altres serveis als equipaments del Parc.

-A partir de l'aleshores els voluntaris presten el seu servei en les dues línies de bus que circulen pel Parc els diumenges i festes segons el calendari prèviament establert.

-Visita comentada a l'exposició sobre els fruits del bosc i castanyada (23.11.91)

-Festa de Nadal (21.12.91)

-Jornada de formació voluntària sobre Conservació i Educació Ambiental (18.1.92)

-Des de l'octubre s'han anat rebent noves butlletes d'inscripció i s'han tingut també les entrevistes corresponents

Segona fornada de voluntaris (febrer-estiu 92)

-A principis de febrer comença la formació dels nous voluntaris amb un programa similar al que s'ha fet per als primers (dies 2, 16 i 29 de febrer). Se celebra una trobada general amb la signatura final del compromís el 29 de febrer

-Els voluntaris de la primera fornada que així ho desitgen reben formació per a noves tasques, consistents en l'acolliment del públic als tres equipaments del Parc i en el guiatge d'itineraris al voltant d'aquests equipaments (dies 1 i 29 de febrer)

-S'estrena el programa d'itineraris guiats des dels equipaments a càrrec dels voluntaris antics que s'hi han preparat. La resta de voluntaris antics i els nous s'ocupen del servei d'acolliment a les línies de bus

-Visita comentada a l'exposició sobre ambients assolellats (9.5.92)

-Trobada de diferents col.lectius de voluntaris a Can Coll. Arrossada i signatura de compromís col.lectiu per part de tres grups d'adolescents de Movibaix (23.5.92)

-Conferència del Director-Gerent del Parc sobre aspectes de gestió (11.6.92)

-Trobada general de formació, amb programa diferenciat per a nous i antics, acabada en revetlla (27.6.92)

-Durant l'estiu, programa especial de serveis mínims

Equiparament de tasques (setembre 92-desembre 92)

-Les jornades de formació de setembre (6.9.92) permeten als voluntaris de la segona fornada preparar-se per treballar als equipaments i en el guiatge d'itineraris; això fa que a partir d'aquest moment tots els voluntaris quedin equiparats

-Preparació del Dia de Collserola i renovació del compromís dels voluntaris de la primera fornada (19.9.92)

-El 4 d'octubre se celebra el Dia de Collserola, única data de l'any en què tots els voluntaris han d'efectuar un servei o altre

-Festa de Nadal (19.12.92)

Proposta de noves tasques (gener 93)

-Trobada de formació en què els mateixos voluntaris participen amb ponències (30.1.93). En aquesta trobada, i a fi de poder assumir noves tasques no vinculades amb l'atenció al públic sinó amb la gestió forestal del Parc, s'inicia la formació per realitzar inventari forestal i seguiment de poblacions d'insectes que provoquen plagues (30.1.93). És previst que aquestes tasques comencin a dur-se a terme a partir de la primavera.

de seguretat, ja que haurien comportat càrregues suplementàries a les feines de posada en marxa i a les despeses inicials. Com a primera tasca s'establí la d'acollir i informar els usuaris del nou servei d'autobús que es posaria en marxa a l'octubre i es deixava per més endavant altres tasques de conservació de la natura o manteniment del Parc.

Si era important la tria de les tasques, també ho era afinar al màxim en el coneixement de les persones. Es cregué, doncs, imprescindible mantenir unes entrevistes l'objectiu de les quals era donar deliberada importància al contacte personal i alhora saber més dels candidats, de les seves motivacions, expectatives, aptituds, disponibilitat de temps, etc. La conversa també facilitava que el futrur voluntari acabés d'aclarir els dubtes, sapigués ben bé a què se'l convidava a participar i tingués l'oportunitat de formular els seus suggeriments.

Fullet de convocatòria de voluntaris

5.2. Disponibilitat i compromís

La disponibilitat que s'exigeix a cada voluntari és d'un matí de diumenge al mes, i també algunes altres jornades per a la formació necessària i obligatòria per a tothom.

La signatura del compromís de servei és per un any, i es formalitza en un acte volgudament revestit de solemnitat, amb la presència del Presi dent del Consell d'Administració del Patronat. En aquest acte els voluntaris reben a més una carta d'acreditació del seu compromís, signada pel President, i el llibre "Parc de Collserola" com a obsequi.

5.3. Equipament

Atenent al seu dret a l'acreditació davant de tercers, tots els voluntaris tenen una targeta d'identificació personal d'ús obligatori. Aquesta tarja utilitza les dues cares amb funcions diferents: l'anvers, que es mostra al públic a

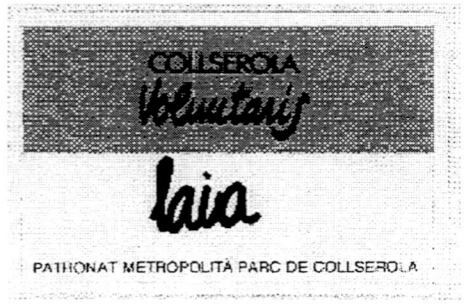

la solapa del voluntari, du escrit el nom de fonts; el revers, que serveix de carnet, du les dades completes, el número de voluntari i la fotografia.

Pel que fa al vestit, no volíem que el grup dels voluntaris fos un col.lectiu uniformat, sinó brindar la possibilitat d'una imatge corporativa que servís d'acreditació. Per això s'ha dissenyat i encarregat una peça que fos pràctica (material tipus anorac, impermeable i transpirable, amb butxaca interior per guardar el mapa del Parc, etc) i també vistosa: té un bonic color verd i a l'esquena hi ha la inscripció **COLLSEROLA Voluntaris**. A l'estiu és substituïda per una samarreta de color similar i amb la mateixa inscripció.

El bagatge informatiu mínim és el plànol-guia de Collserola i unes fitxes plastificades, tipus "xuleta", amb les dades bàsiques del Parc i les adreces d'emergència.

5.4. Organització

La organització s'ha dirigit a resoldre amb eficiència tots els aspectes imprescindibles per al bon funcionament del servei dels voluntaris: res tan descoratjador en aquesta mena de prestacions com la sensació de desgavell.

Dels aspectes organitzatius se n'ha encarregat bàsicament el responsable dels voluntaris.

En el cas del servei al bus del Parc, cada diumenge treballen 5 parelles de voluntaris, 4 a bord dels busos i una a la parada d'origen de Barcelona. Les parelles poden ser compostes sempre pels mateixos integrants o no, a gust de cada u. En el cas del servei en equipaments i itineraris, treballen de 3 a 5 voluntaris a cada centre en funció dels seus requeriments.

Cal doncs distribuir la gent equitativament i confeccionar un calendari, que tothom tindrà, en el qual figurin els noms i telèfons de cadascú i els torns dels serveis assignats. Això garanteix la transparència d'un repartiment just i facilita enormement l'autogestió dels inevitables canvis d'última hora. Tant com sigui possible, serà bo que els mateixos voluntaris participin en l'establiment de les dates dels seus serveis.

A més a més cal encarregar-se dels esmorzars, preparar el material necessari, el canvi (els voluntaris

venen algunes publicacions en el bus), la recollida de diners i materials
sobrants..., i les pastilles contra el mareig.

La incorporació escalonada de voluntaris és del tot recomanable.
No sols permet poder fer la formació en grups de dimensions raonables,
sinó que sobretot possibilita abordar progressivament la complicació
creixent en la distribució de tasques i la confecció de graelles de serveis:
voluntaris i responsables adquireixen experiència conjuntament. A més
també presenta l'avantatge que l'entrada de nous voluntaris permet als
antics assumir noves tasques, que s'ha de procurar que tinguin més atractiu
encara. El guiatge d'itineraris, per exemple, comporta un salt qualitatiu
en relació amb el servei al bus i els voluntaris acullen la nova responsabilitat
amb entusiasme. És de preveure que passi una cosa semblant en la
realització de tasques de gestió forestal.

Cal afegir que si bé els aspectes organitzatius habituals són els que
es refereixen a les tasques de cada diumenge, també és necessari assegurar-
los en la resta d'activitats dels voluntaris com ara reunions, cursos de
formació, sortides, celebracions, etc.

5.5. Formació

Ja ha estat remarcat el paper clau de la formació en el bagatge del
voluntari de Collserola; a fi que aquesta formació atenyi els seus objectius
ha d'atendre múltiples aspectes i ha de ser rica i variada en la seva
formulació: tot plegat es pot compendiar en els quatre apartats que
esmentarem tot seguit.

Voluntaris de la primera fornada

5.5.1. Formació bàsica inicial

És la que es dóna als voluntaris al moment de la seva incorporació i consisteix a saber les beceroles del Parc a base del coneixement sobre el terreny d'un sector de la Serra i de saber els trets bàsics dels seus valors, de la seva organització i de la seva gestió. Aquesta formació bàsica inclou també un esbós sobre el perfil del voluntari, allò que li és exigible a nivell

Activitats de Formació

d'actitud i les pautes de comportament en funció de les feines a desenvolupar.

5.5.2. Formació pràctica

Consisteix en la preparació adequada per a la tasca concreta que cada u ha de fer i té, bàsicament, dos aspectes: el coneixement del terreny i l'adquisició de destreses en el tracte pedagògic amb les persones.

Pel que fa al coneixement del terreny, en el cas del servei al bus es tracta de conèixer-ne bé la ruta, les característiques i atractius del paisatge per on discorre, la ubicació de les parades, les possibilitats d'itineraris des de cada una d'elles, etc., i a tal fi es fa un o més cops el recorregut complet i alguns itineraris-mostra. Si el que es tracta és d'estar als equipaments, cal conèixer-ne bé els serveis i possibilitats que ofereixen, el personal que els atén i els mitjans amb què es compta. I si es tracta de guiar itineraris pels voltants, caldrà saber-ne les característiques físiques (durada, dificultat,etc.) i paisatgístiques. En aquest cas, és imprescindible fer més d'una sessió preparatòria i cal repetir-la si es vol canviar d'equipament. Val a dir que aquest és un camp adobat per a l'autoformació, és a dir per familiaritzar-se amb el terreny pel propi compte o bé de la mà d'altres persones (voluntaris o no) que en tinguin coneixement.

En relació a les estratègies comunicatives, s'expliquen als voluntaris els objectius de l'educació ambiental i es delimita el camp en què ells poden col.laborar-hi, se'ls donen unes bases de psicologia i pedagogia per a la relació amb el públic i se'ls introdueix a les principals tècniques d'interpretació i guiatge.

5.5.3. Formació bàsica de continuïtat

Es tracta d'anar aprenent nous aspectes o d'ampliar-ne d'anteriors sobre temes vinculats al Parc, a la seva gestió, a la natura, al medi ambient, a l'educació, a la participació ciutadana, etc., i això tant des del punt de vista conceptual com pràctic, és a dir a base de sessions a l'aula i de sortides al camp.

Tot aprenent a guiar itineraris

Activitats de formació

5.5.4. *Formació complementària*

Entenem per formació complementària aquella que comenta aspectes puntuals o d'interès específic aprofitant algunes de les activitats del Parc o atenent suggeriments rebuts. Es diferencia també de l'anterior en el fet que són d'assistència lliure.

També es poden incloure en aquest apartat els cursos i sessions que organitza el Parc oberts a tothom i en els quals els voluntaris poden participar-hi amb un tracte preferent.

La formació, programada conjuntament per la cap del Servei d'Educació Ambiental i el responsable del programa de voluntaris, ha estat impartida per l'equip d'educadors del Servei, amb algunes aportacions exteriors (psicòleg). S'ha treballat sempre en subgrups petits i oferint possibilitats temàtiques alternatives quan ha estat possible. Sobretot en les primeres trobades, s'han programat activitats de descoberta dels altres i s'han procurat ocasions de coneixença i relació personal. Progressivament s'ha buscat la seva participació en els camps que la formació de cadascú fa possible.

5.6. Vida del grup

A part dels serveis a què s'han compromès els voluntaris i de les jornades de formació en què prenen part, hi ha un seguit d'altres esdeveniments de tota mena, promoguts pel Parc o per ells mateixos, festius o de treball, sols o en col.laboració, etc., que fan més rica la vida del grup i donen sortida a altres desigs de col.laboració.

En l'aspecte festiu, ideal per al contacte distès i la cohesió del grup, a més de celebrar el Nadal s'han aprofitat sovint les trobades de formació per acabar de manera lúdica: la castanyada amb motiu de l'exposició dels fruits del bosc, la revetlla en la trobada de finals de juny, el ball quan la incorporació de nous voluntaris, un arròs en ocasió d'una trobada amb altres grups de voluntaris, etc.

En l'aspecte de feines suplementàries, cal esmentar la col.locació de caixes-niu quan s'endega aquesta campanya anual, les matinals de neteja en una font o un indret especialment atractiu, el guiatge de grups de característiques especials (disminuïts, immigrants magrebins, etc.) els contactes i tasques comunes amb altres grups que dediquen hores al Parc (voluntaris forestals, Movibaix, grups d'esplai, etc.).

Finalment s'han fet sortides i excursions per conèixer altres indrets del país, especialment notables pel que fa a valors naturals: els aiguamolls de l'Empordà, la serra del Montsant, la fageda de Santa Fe del Montseny, i s'han fet travesses a peu seguint senders de gran recorregut per l'Albera (GR 7) i per la mateixa serra de Collserola (GR 92).

Tot aprenent de l'experiència

Guiatge d'itineraris per a visitants del Parc

5.7. Altres camps d'acció

5.7.1. Coordinació amb altres voluntaris

Al llarg de la descripció s'han esmentat sovint altres grups de voluntaris que, tot i no dedicar-se exclusivament a Collserola, hi presten part dels seus serveis. L'aportació d'aquests voluntaris és molt important per al Parc; només cal però procurar que les feines d'uns i altres no s'encavalquin sinó que es complementin. Una de les tasques del responsable dels voluntaris de Collserola ha estat precisament coordinar l'acció de tots aquests grups, cosa que, superats alguns recels inicials, ha produït un efecte multiplicador dels serveis i ha vehiculat el mutu coneixement i la mútua estima entre un seguit de persones que tenen una gran coincidència d'objectius.

5.7.2. Els voluntaris adolescents

Ja s'ha dit en descriure el perfil del voluntari que s'havia fixat una edat mínima de 16 anys en funció del potenciament del sentit de responsabilitat i de la maduresa. Tanmateix hi ha adolescents menors d'aquesta edat enquadrats en grups juvenils i d'esplai, i amb gran il.lusió per col.laborar amb el Parc. Es va arribar a una entesa amb l'associació Movibaix, que agrupa la majoria d'esplais del Baix Llobregat, a fi que tres grups de nois i noies pertanyents a entitats associades a Movibaix, prenguessin el compromís col.lectiu de col.laborar en diverses tasques, fonamentalment relacionades amb el coneixement i la cura d'una determinada vall del Parc. Aquest compromís de grup anava avalat pels monitors responsables i es signà per un curs i de manera pública; cada grup va rebre una acreditació del seu compromís. Per al jovent que hi ha pres part, a més del valor que té la seva aportació en ella mateixa, pot ser un tast i una preparació per esdevenir voluntari personal tant bon punt arribi el moment.

Festa de voluntaris a Can Coll

6. AVALUACIÓ

Cal començar aquest capítol amb dues consideracions prèvies. La primera és per constatar que aquesta inciativa ha tingut des del primer moment una excel.lent acollida ciutadana, ja concretada en l'actual grup de voluntaris i amb una llarga llista d'espera de vora un centenar de persones que s'aniran incorporant amb el temps. En bona part d'aquestes, el desig d'incorporar-se és fruit del contagi i de l'entusiasme despertats pel funcionament de l'experiència.

L'altra fa referència a la composició del grup: si se'n revisen les característiques, es constata amb satisfacció la gran heterogeneïtat existent tant pel que fa a professió i estudis com a l'edat. En efecte, hi ha professionals liberals, mestresses de casa, obrers, ensenyants, empleats, estudiants, etc. I pel que fa a l'edat es pot dir que hi són representades gairebé totes i de manera prou repartida (vegeu el quadre adjunt de dades extretes d'un treball efectuat pels voluntaris Anna Casado i Francesc Centellas).

Si ens plantegem l'avaluació de la mateixa experiència, es pot considerar des de dos punts de vista, l'objectiu i el subjectiu, el del Parc i el del voluntari. És a dir, d'una banda, què aporta el voluntari al Parc, a la seva gestió, a la seva oferta, a la seva relació amb els ciutadans, etc; i d'altra banda, com l'experiència duta a terme afecta el voluntari i quins resultats n'obté.

6.1. L'actuació dels voluntaris, una millora objectiva per al Parc de Collserola

La valoració de l'aportació del voluntari al Parc és clarament positiva. Aquesta afirmació incial és important de fer perquè el perill que no sigui així existeix. L'usuari del Parc (i el ciutadà corrent) sovint no s'atura a distingir la línia de separació entre voluntari / professional / òrgan gestor / administració pública, i d'una espifiada d'un voluntari en pot inferir desproporcionades conclusions de caire generalitzat. Per tant, calia assegurar d'entrada que els voluntaris apareguessin com a persones amables i educades i com a persones que tenen un bon coneixement del Parc: tant una cosa com l'altra s'han complert a bastament.

Entrant ja més directament en aquesta valoració, els trets principals són els següents:

- El voluntariat representa una mostra excelsa de participació ciutadana en els afers i la gestió del Parc, dóna a aquesta gestió un caire més popular i menys oficialista, i fa palès als ciutadans que és possible concretar l'interès i la preocupació per les coses comunes.

- L'aportació dels voluntaris ha ampliat i millorat els serveis que el Parc ofereix; ara que afortunadament ha anat així, costa de concebre un Bus del Parc sense voluntaris. L'experiència també ha ensenyat que hi ha molta gent poc avesada a caminar pel seu compte malgrat que hom hagi editat mapes i itineraris: quan aquests itineraris han esdevingut guiats per voluntaris, l'interès i el profit dels qui els han seguit han augmentat substancialment. I diem l'oferta de serveis perquè els voluntaris s'han dedicat primordialment a tasques d'atenció al públic, però altres tasques que ja han fet (neteja, campanyes faunístiques) i que és previst que s'ampliïn (gestió forestal, arranjament d'indrets), milloren també la mateixa configuració del Parc

- El voluntari representa un clar exponent, gairebé provocatiu, d'exemplaritat cívica, ja que treballar per una causa sense rebre'n compensacions materials desmunta un seguit de tòpics ("tot es fa per diners", "ja no hi ha generositat", etc) i pot fer trontollar la insolidaritat on tants i tants estan instal.lats.

PERFIL DELS VOLUNTARIS
DADES ESTADÍSTIQUES

Sexe
Homes: 60%
Dones: 40%

Edat
< 20:   10%
20-29:   49%
30-39:   17%
40-49:   18%
> 50:   6%
Mitjana d'edat: 29,9
Homes: 32,4
Dones: 28,3

Procedència
Barcelona: 64%
Resta municipis parc:23%
Altres indrets: 13%

Professió
Estudiants: 45%
Administratius: 15%
Mestres i professors: 13%
Tècnics: 11%
Sanitat: 4%
Comerç i oficis: 4%
Altres professions: 2%
En atur: 6%

Motivacions per fer-se voluntari
Estimació natura: 41%
Conservació natura: 20%
Aprendre: 14%
Educació ambiental: 12%
Ser útil: 8%
Altres: 5%

Coneixement del Parc
Gens: 18%
Poc: 48%
Força: 30%
Molt: 4%

Orientació preferida de tasques
Atenció públic: 57%
Medi natural: 26%
Estudis: 11%
Qualsevol: 6%

6.2. El voluntari com a destinatari del programa

Si bé queda clar que els voluntaris no reben cap contraprestació econòmica per les tasques que realitzen, no és cert, tal com ja hem dit, que donin sense res a canvi. Es podria dir de manera general que hi ha un enriquiment personal en el camp del coneixement, de l'experiència, de la relació, etc. Vegem-ho amb detall.

- El bagatge de coneixements provinents de la formació, tant els que tenen a veure directament amb la serra de Collserola i la manera de gestionar-la com a Parc, com els que s'ubiquen en el marc més ampli de l'educació ambiental.

- L'aprenentatge d'un seguit de tècniques i recursos provinents de la pràctica, d'haver de respondre preguntes impensades o haver de sortir-se'n de situacions imprevistes. Això porta cap a una maduresa tant en l'aspecte personal com en el professional.

- L'augment del nivell de discerniment pel fet de contrastar els coneixements previs amb la realitat circumdant i partir d'aquesta per adquirir nous coneixements.

- L'augment de consciència sobre la problemàtica ambiental, que porta a refermar certs principis ètics ja assumits prèviament i a basar-los damunt de fonaments més sòlids

- La possibilitat de treballar en un camp que sovint no és l'habitual, de canviar de paissatge tant fisic com psíquic, amb tota la càrrega d'higiene mental que aquest fet sol comportar.

- L'experiència gratificant d'un treball generós, en el qual hom se sent útil, apreciat pels destinataris del servei i, mirant-ho de l'altra banda, sanament satisfet de si mateix.

- L'ocasió que, altrament no es tindria, de tractar durant la prestació del servei amb gent d'edat i condició molt variada, d'enriquir-se amb el seu saber o amb la seva experiència, de compartir les seves il·lusions i vivències, etc.

- L'intercanvi d'amistat, d'experiència, de parers, etc, és a dir, tots els valors que comporta el fet de formar part d'un col.lectiu, potenciats en aquest cas per la riquesa de relacions que s'origina entre persones de diverssa procedència i formació i d'edats tan dispars, però amb una entesa inicial assegurada pel fet de tenir il.lusions comunes.

- L'oportunitat de convivència enllà de les tasques programades i que es tradueix en la participació en activitats complementàries agradables i disteses, que van des de l'oci naturalista fins al renou més divertit.

Apèndix onomàstic

Durant el període a què es fa referència, Teresa Franquesa era Cap del Servei d'Educació Ambiental; Manel Cervera, Tècnic adjunt al Cap; i Josep Espigulé, Responsable de Voluntaris. El Director del Parc era Miquel Sodupe.

Tots els membres de l'equip d'educació ambiental van col·laborar en aspectes de formació, i d'una manera especial Marian Navarro i Albert Torras directors dels Centres d'Educació Ambiental de Mas Pins i Can Coll respectivament.

Les responsables de l'acollida als Centres d'Informació del Parc durant els caps de setmana eren Isabel Alves, Lurdes Bonet, Teresa Cañellas, Marta Cuixart, Montse López, Anna Prieto i Mireia Queralt: van tenir un paper destacat en la incorporació dels voluntaris a la tasca encomanada.

El col·lectiu de voluntaris estava format per Francesc Abad, Beatriz Alejandre, Jordi Armengol, Susanna Arjalaguer, Albert Arús, Carles Asensi, Jordi Balcells, Carme Baqué, Alicia Bertolín, Anna Blas, Rosario Bodelón, Elena Bou, Sergi Bueno, Laia Busqué, Josep Anton Caballé, Patricia Calzada, Rafael Carrizosa, Manel Casademunt, Anna Casado, Francesc Centellas, Dolors Cerdanya, M. Carmen Chavero, Joan Claramunt, Glòria Cornet, Victòria Corts, Ramon Crehuet, Montse Cruz, Domi Díez, Susana Domingo, Rosa Domínguez, M. Sagrario Donoso, Maria Elizondo, Ana Fernández, Oscar Fernández, Agustí Fernández, Belén Ferrer, Eduard Fons, David Fontanals, Oscar Fruitós, Mònica Giralt, Maria Gispert, Vicenç Gonzálvez, Guillem Gonzálvez, Elena Gordillo, Assumpta Grimau, Antonio Herrera, Sílvia Horvath, Josefina Jaime, Maite Juclà, Mireia Lecina, Roger Lecina, Joan Antoni Lorente, Yolanda Marín, Joana Mariné, Gemma Martínez, Merche Martínez, Marga Mas, Sergi Masip, Montserrat Masip, Ana Medina, Beth Mejan, Jordi Mesones, Xavi Miralles, Olga Morell, Sònia Molina, Maria Montané, Arnau Montserrat, Manel Navarro, Susana Núñéz, Marisa Olivera, Angelina Pacheco, Marta Pàmies, Josefina Pastor, Carles Peña, Serafí Pérez, Bartomeu Pons, Víctor Ranera, Miquel Angel Rivero, Xavier Rocamora, Xavier Rodríguez, Iolanda Roma, Anna M. Romaní, Raimon Romani, Concepció Romero, Francesc Roset, Joan Saldaña, Montserrat Salgado, Manel Salvat, Mercè Salvat, Rosa Sastre, Carme Serrano, Mireia Sisquella, Rosa Solé, Graciela Soñez, Margarita Talayero, Mercè Torras, José M. Torres, Natalia Torron, Clara Viladach i Francesc Xandri.